KB166075

인어
공주를
위하여

이 미 라

늘 감사하고
행복했습니다.
이 책이 작은 기쁨이
되어 드린다면
참 기쁠것 같아요.

인어
공주를
위하여

LEE MI RA SPECIAL EDITION

인어
공주를
위하여 5

이미라

학산문화사

제21장
옛날에 옛날에...

도대체 며칠째데…

그러게요.

저러다 큰일나는 거 아닌지….

계속 문을 걸어 잠그고 있소?

재주 있거든 한번 불러내봐요.

그 녀석 정말 속 썩이는군.

하! 그게 할 말인가요?

그렇게 되도록 한 게 누군데!

상아를 그렇게
만든 걸로 부족해서
이젠 장미까지…

그래요.
서훈섭 씨의
아들만 해도,
당신 때문에…

당신이 사람이에요?
그 애들에게
무슨 죄가 있다고…

내 앞에서
잘도
그 이름을…

벌
떡

…그만두세요,
당신과 싸우기도
지쳤어요.

제 일 때문이라면
다투지 마세요.

장미야—.

그 얘기를 하자면
먼저 그 친구들 얘기부터 해야 해.

푸르매의 엄마 미옥이,
지원의 엄마 자영이,
그리고 나…

우리 셋은 고교 3년 간
단짝 친구로 지냈단다.

친구들과 선생님들조차 이름을 혼동할 만큼
우린 늘 함께였어.

신기할 만큼
같은 생각을 했고
같은 것을
좋아했어.

자영아,
아까 국어 시간에
네가 발표한 한글 이름
너무 예쁘더라.

그래서일까…
우리는 언제나 모든 것을
공유하고 싶어 했다.

푸르매?

그래.

난 나중에
아들 이름―
푸르매로 지을래.

그는 가난한
고학생이었고,
오빠의 친구였으며,
나의 가정교사였다.

안녕,
네가 진희지?
난 서훈섭.

앞으로
잘 부탁해.

그날…
첫 만남에서 나는
이미 그를
사랑하고 있었다.

그와 가까워지고 싶어서
그와 같은 학교로
진학했는데…

자영이 역시
타 학교보다
등록금이 싼
그 학교로 함께
진학했지.

내 애인
서훈섭 씨야.

그때부터 우리 셋은
늘 함께였어.

이 녀석 보게,
사부님을
능멸하고 있어.

그런데…

자영이보다
먼저 결혼하고 싶어
서둘러 선을 보고
결혼을 했지.

불안한 시작이었지만
너희들이 태어나고
세월이 흐르는 동안
난 네 아버지를
사랑하게 되었어.

훈섭 씨에게
향하던 마음과는
달랐으나,
그 역시 사랑⋯
평온하고
행복했단다.

하지만 어느 날
어디선가 이상한 말을
듣고 온 그는
나와 훈섭 씨 사이를
의심하기 시작했지!

나를 등신으로 만들고
즐거웠나?
더러운 것
같으니⋯!!

극진하던 그의 사랑은
증오로 변해갔고,

대답해봐,
언제부터였어?!

그놈이
그렇게 좋은데
왜 나와 결혼했어?!
내 돈 때문이야?

우린⋯
싸우고 싸웠다.

애 놀라요!

왜 이래요?

그게 내 딸이라고
어떻게 믿어?

그 계집애가
나와 무슨 상관이야!

그 무렵 나의 정신은
피폐할 대로 피폐해서
네 아버지를 원망하고, 자영이를…,
서훈섭 씨를 미워했다.

그러다 네 아버지에 대해
차츰 무관심해졌고
그는 그것에 더 분노했어.

결국은
이리 되고
말았지만…

미움이 있다는 건
조금이나마 사랑이
남아 있음이니….

그렇게 한 해가 가고
또 한 해가 가고….
그동안 한 번도
자영이 가족을 만나지 않았어.

내키지 않아 하는 서훈섭 씨를
네 아빠의 회사로 굳이 스카웃 한 건
나였음에도 그들이 어떻게 사는지
회사 생활은 어떤지
알아볼 생각도 하지 않았다.

네게 하는 네 아버지의 행동을 봐도
그가 얼마나 서훈섭 씨를 괴롭힐지
짐작할 수 있었지만 당시의 나는
모든 것이 지긋지긋했기에
스스로의 무책임함을 알면서도 외면했지.

미움이로부터
자영이가 많이 아프다는
소식을 듣고도 병문안 가볼
생각조차 하지 못했어.

고아로 자란 그 친구는
가족이 많은 걸 원해서
둘째 아이를 유산한 후
의사의 경고를 외면하고
다시 아이를 낳았던 거야.

그래도 그렇게까지
위독할 줄은 몰랐어.

그리고—

그가 유괴를 하다니
그것도 내 아이를…,

나의 외출 중에
일어난 일이라
더 믿기 어려웠던
그 사건.

우리는 또다시 말다툼을
벌이기 시작했고
그때 지원이 찾아왔어.

당신은
이 사건에조차
나를 안 믿는다니,
내가 무고라도
했다는 거야?

그놈에게 직접
물어보라고!

부탁입니다!
들어가게
해주세요!

사장님께 드릴
말씀이 있어요!

유괴라니요!
아버지는
그럴 분이 아니에요!
우리 아버지가 아이들을
얼마나 아끼고
사랑하는데요!

뭔가 잘못
아신 걸 겁니다!
부탁입니다!
우리 아버지를
풀어주세요!

자신이 증오하는 자와 꼭 닮은 얼굴을 하고
더할 수 없는 믿음으로
그를 변호하는 것에 흥분한 걸까,
내가 옆에서 그 말에 동조해서일까.

네 아버지는
차마 입에 담을 수 없는
악담을 퍼부은 거야.

그래,
네 아비는 내 딸을
유괴한 게 아니고
자기 딸을 데려가고자
했던 거지.

알겠냐,
꼬마야.
그게 잘난
네 아비다.

그때 지원의 나이
14살이었고,
상아는 11살….

그 충격으로 상아는
아이다운 웃음을
잃었으며…,

천사같던
지원은
모두로부터
손가락질 받는
사람이
되어버렸다.

…이 무슨
운명일까?
서로가
상처 입히고
상처 받는….

그러나…
그렇게 따진다면
이 세상에 죄인 아닌 이가
몇이나 될까?
살아가며 단 한 번도
사랑하지 않을 수 없고
그 사랑이 다
이루어지는 것도 아닌데….

...그래... 쿡쿡쿡... 쿡쿡

잘 생각했어.
이대로 영영
사라져버리는 거야.

어머니로부터…
지수로부터…

나로부터….

아득한 기억
저편으로부터!

핼쑥하다.
많이 앓았나 봐.

나, 지원 얼굴
어떻게 보지?

장미야…

이해할 수 있어.
신경이 쓰이겠지.

하필 네 동생을
유괴한 사람의
아들이라니….

아니, 아니야.
지원은…
유괴범의 아들 같은 게
아니야….
그런 게 아니야.

내가 두려워
하는 것은 내가…,
내가….

지원이
늘 나와 함께했던
이유를 너희는
짐작도 못할 거야.

내가 그의 3년을
사버렸으니까.

…아무리
지긋지긋해도
그에겐
선택의 여지가
없었거든.

내 아버지의
딸답게
비열하게…

그를 협박해서
내 곁에 묶어버렸지.

교통사고를 당하고…
일주일쯤 지난 후였던가.
병실로 그가 찾아왔었다.

아니…,
내가 그를 불렀어.

불구자…, 다리 병신….
내가 일생 동안 짊어지고
가야 하는 굴레야.

재수술 받으면
걸을 수도 있다고,
다리를 안 자른 것만으로도
다행인 줄 알더라.

…우습잖니?
성공한다 해도
전처럼 아무렇지 않게
걸을 수 있을 리도
없는데….

…모두 너 때문이야.
너는 그 책임을 져야 해!

내 다리라도
바칠까?

오른쪽 다리,
왼쪽 다리?

아니면 양쪽 다?

네 다리 따윈 필요하지 않아.

너의 미래를 줘.

픽!

다시 부르는 일 없길 바라지.

마저 듣고 가.

부모님이나 경찰에서는 단순한 뺑소니 사고로 아시지만 날 밀어 넣은 것은 너!

목격자는 많아. 블랙파워라면 얼마든지 증인이 되어줄 거란 생각 안 들어?

…그래 봤자 과실치상… 별거 아냐.

…하지만

진주 목걸이 절도 건이 더해지면 좀 달라질 거야.

시간은 지났지만 얼마든지 추적이 가능할 거라 생각해.

내 아버지가 만든
상처 위에
소금을 끼얹은
꼴이었으니….

교묘한 궤변으로
천사를 연기한 악마다,
나는!

무슨 말을 하지?
내 아버지의 잘못을….

내 잘못을….

그래도 네겐 아직
사과할 기회가 있잖니?

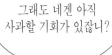

…용…기….

정말 나에게 필요한 건
언제나처럼 용기일까?

그것뿐?

그래,
네게 필요한 것은
용기야.

어떤 상황에서도
그를 포기 않는….

그리고
내겐…
포기하는
용기가!

용서라니….

그래.
받아들여지든
받아들여지지 않든
내겐 사죄해야 하는
의무가 있어.

내 아버지의
몫까지….

네가 뭘 용서받아야
한다는 거지?

네 아버지 말대로
난 유괴범의
자식이야.

그 사실은
너를 대할 때마다
다른 이유 하나와 더불어
나를 괴롭게 했지.

또…
다른 이유?

너를 좋아하는
내 마음.

됐어, 이걸로….

하지만 네겐
나보다 더 널 걱정하고,
네 일에 대해선 더 용감한
장미가 있으니까….

이젠 그냥
네가 좋아.

네 이름이
무엇이든
상관없는데….

슬비.

언제던가…,
언니에게 들은
얘기가
생각이 났다.

헤헤….
나 실연당했다.

사랑에 빠진
숱한 여인들이
때론 인어공주가 되고
신데렐라가 되고….

우리 모처럼
자전거
타러 갈까?

그렇다면
나는 슬픈
인어공주인가?

슬비.

어서 가보자.

저 앞에 자전거
빌려주는 집 있더라.

그토록 보고파 하던
왕자님인데,
다른 공주를 사랑하는 모습으로
눈앞에 나타나
비극으로 끝나버리는 동화.

이리 와.
내가 신겨줄게.
쉽다니까.

아, 안 돼.

왜 이래, 정말.
이런 데 처음 와 보는
사람처럼…

쳇, 같이 타야
재미있는데…

아—, 난 정말
롤러스케이트는
못 타.

미안.
가서 놀다 와.
자꾸 옆에서
넘어지는 것보다
나을 거야.

여어~, 지원.
이런 곳에서
또 만나네.

탁

정환 선배.

예쁜 친구네?
소개시켜라.
교복 보니까
후배 같은데?

장미, 이쪽은
정환 선배야.
우리 학교 선배.

아, 안녕하세요.

형…, 무…울….
물… 좀….

하아…하아….

아 참….
형은 학교 가…고 없지.
나… 참…
바보…야.

그치만 물이 먹고 싶은데….

꿀룩 꿀룩 꿀룩

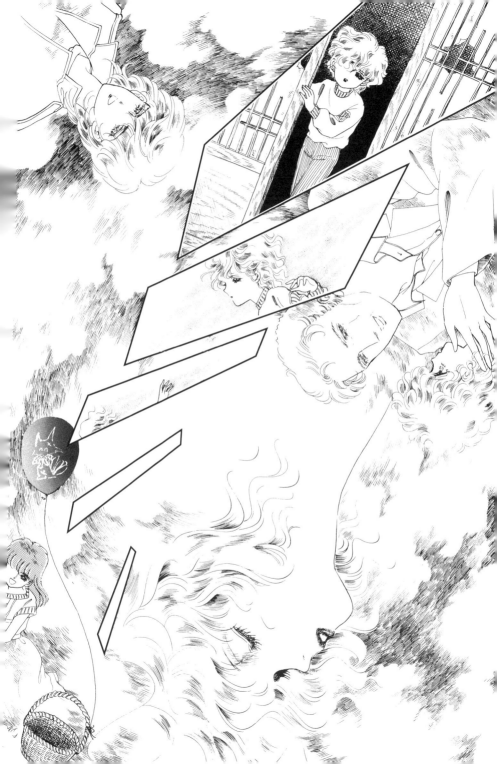

슬비,
바로 옆집 살면서
자주 만나지도 못하고
학교에서도
잘 안 마주치고….

슬비!

원래부터
이상했단 말이에요.

그래요. 그 때문에
황천 갈 뻔했잖아요.

무슨 소리야.
우리 집엔
모두 새 자전거밖에
없어.

새 자전거 갖고 가서
망쳐놨으면
보상을 해야 할 거
아냐.

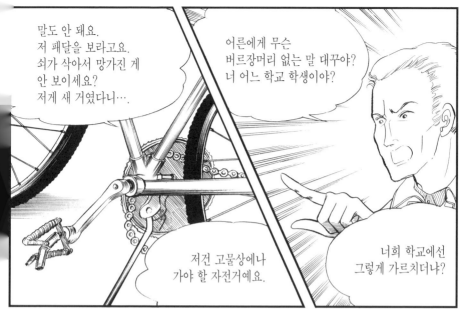

말도 안 돼요.
저 패달을 보라고요.
쇠가 삭아서 망가진 게
안 보이세요?
저게 새 거였다니…

어른에게 무슨
버르장머리 없는 말 대꾸야?
너 어느 학교 학생이야?

저건 고물상에나
가야 할 자전거예요.

너희 학교에선
그렇게 가르치더냐?

어른들은 말만 막히면
저러더라.

떠벌   떠벌

좋아요!
우리에게도
잘못이 있으니까….
얼마나 보상하면
되지요?

당연히 새 것으로
사내야지.

그런 게 어딨어요!
당신 지금 사기치는 거요?!

사람을 어떻게 보고
그런 수작이에요!

고소할 겁니다!!

예, 보는 것도 좋아하지만 실제로 한번 해보고 싶기도 해요.

말 나온 김에 오늘 우리 집에 가서 해보자. 다른 일 없으면…

달리 일이 있는 건 아니지만…

가르쳐줄까?

내게는 왜 저런 말을 안 해주지?

고3인데 시간이 나겠어요?

고3이라도 쉴 땐 쉬고 놀 땐 놀아야지.

저 속에 끼어 눈총을 받을 수는 없지 않겠니.

하 하.

빈아, 함께 안 갈래?

아냐, 난 볼일이 있어.

정말 맛있어요,
사 먹는 것보다 훨씬 더요.
정말 솜씨가
좋으시네요.

우리 종인이가
특별히 부탁한 거라
신경을 썼단다.

엄마!

헤헤~.
고마워요,
종인 선배.

난 그따위
유치한 짓
저지른 적 없어!

뭐라고?!

모르는 일이라고!
그 소식 듣고
긴가민가해서
와본 거야!

도대체 어떻게
돌아가는 거야?!

네가 소집했다고
문섭이가 그래서
다들 급하게
달려온 건데!

그 자식
어디 있어?!

서지원—!

지… 지원아,
찔렸어?

소…리 지르지 마,
약간 스친 것뿐이야.

삐뽀

삐뽀

삐뽀

삐뽀

후….
내일쯤 볼 만한 일이
벌어지겠군.

최악이야.

형….

지수야!
그래, 형이다!
형 알아보겠어?!

허엉…, 나…
약… 먹었어.
형이 지…어준
거…

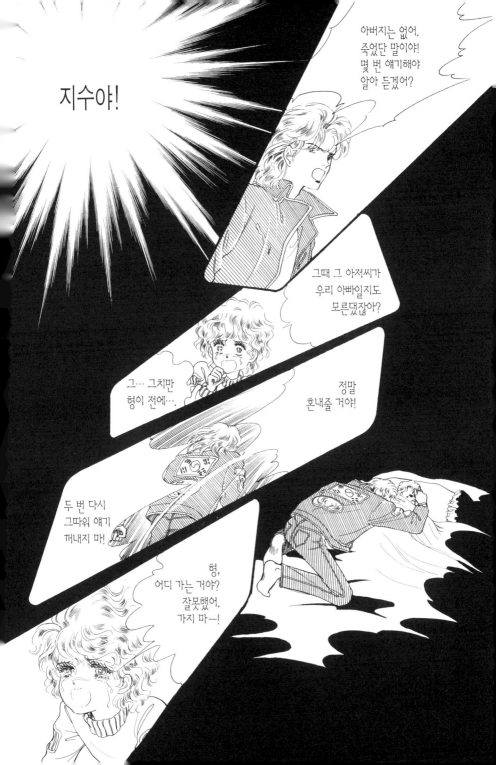

제22장
내가 헤매어 찾던 나라

이 공붓벌레야,
길을 걸을 때는
책에서 눈 좀 떼.

그래도 몰라.
최선을 다한 후
결과를 기다려야지.

그동안
너무 놀았잖아.

네가 무슨
걱정이야.

나라면
또 모르겠지만.

의학은
놀라울 만큼 발전하고 있지만
현대 의학은 기본적으로
병의 원인을 죽이는 형태라서
치료는 빠르고 확실하지만
다른 부위에
부작용이 생기는 일도
적지 않아.

역시
한의대?

응.

그러니 나는 몸의 자생력을 돋워 병을 이겨내는 한의학적 방법으로 인체의 신비에 접근해보고 싶어.

네가 한의학을 공부한다는 것이 의외긴 하지만 너라면 잘 해낼 것도 같아.

무엇보다 좋아하는 분야니까.

누구든 자기가 좋아하는 일을 할 때 최고의 능력을 발휘할 수 있다고 생각해.

그래, 이왕에 그렇게 결심했으면 허준을 능가하는 명의가 되어주라.

…그건 그렇고 너… 요새 서지원 본 적 있어?

오늘 이상한 소문을 들었어.

아니, 무슨 일이라도?

지금까지는 막 나가네 어쩌네 해도 정해진 선을 넘지는 않는다 싶었는데….

그 녀석이 마치 벼랑 끝에 서 있는 듯 느껴져.

…더 이상…
잘못되는 일이
없어야 할 텐데…
왜 이렇게 불안한지….
지나치게 가라앉은
모습 때문에 더 그래.

지나친 걱정 아니야?
패싸움 얘기는
나도 얼핏 들었지만
헛소문이라 생각돼.

예감이 나빠.

서지원은 상당히
영리하게 행동하는
편이거든.

너도
좀 전에 말했잖아.
나름대로 그어둔
선을 지킨다고.

학교 측에서 심하게
제재하지 않는 이유도
그 때문일 거야.

오히려 필요악이라고
생각했을지도 모르지.

역설적이지만
서지원의 불개미단이
다른 불량서클의 난립을 막아
학생들의 피해를 줄였다고
볼 수도 있으니까.

너무 걱정하지
않아도 될 거야.
서지원은 강해.

글쎄….

그 강함이란 것도 어쩌면…
그저 눈속임에 불과한 것은
아닌지….

들어갔다
안 갈래?

아냐, 오늘도
원고 바빠.

다녀왔습니다.

한 손으로 연속 두 번 치는 것을 더블 펀치.

팔을 가볍게 굽혔다가 뻗으면서 찌르듯이 치는 잽.

주먹을 위로 올려치는 어퍼컷. 팔의 각도에 따라 롱과 쇼트로 구분되고,

접근전에서 특히 중요한 공격법이야.

이것이 가장 효과적인 기본기 스트레이트.

주먹이 일직선으로 뻗으니까 빠르지.

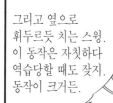

그리고 옆으로 휘두르듯 치는 스윙. 이 동작은 자칫하다 역습당할 때도 잦지. 동작이 크거든.

아, 그래…. 전에 서지원과 시합했을 때 저 동작하다가….

좀 알아 듣겠어?

조, 조금….

좋아, 그럼 내가
시키는 대로 공격해봐.

느리다!

팍·
팍

좀 더
직선으로—!

좋아, 그런 동작으로
스피드를 살려서!

그래서 너는
앞으로 쭉…

푸르매가 아닌
서지원일 테지…,

장미의…!

미…
미안해, 슬비!

얼굴 좀 보자.
많이 다쳤어?
미… 미안해.
나도 모르게 그만…
슬비….

괜찮아요,
괜….

같이 가자, 슬비야.

그, 그치만 좀 전에도….

같이 가, 슬비. 네 몫까지 많이 하셨대.

뭐라고?! 옆집에서 밥 먹는다고?! 시끄러워! 빨리 집으로 와!

여자가 밤 늦게 남자 집에나 가고…! 시끄러! 빨리 와서 밥 해!

슬비, 거기 있대요?

옆집이라면 학생회장 집인가?

잠깐!

탁

받아보세요.

참, 미라.
슬비에게
할 말 있다더니?

뭐, 뭐였는지
잊어버렸어.

......

너 혹시 아이큐
한 자리 아냐?

아냐!
두 자리야!

정말이야!
그렇지, 슬비? 이게, 빨리 말 안 해?!
맞아야 얘기하겠어?!

IQ 88

......

또 누가 왔을까?

서지원
이잖아..

지···.

왜 그래, 지원!

야,
그 손 놓지
못해?!

어딜
가자는 거야?!
잠깐,
이것 놓고 얘기해!

형, 기다려봐.
뭔가 사정이 있나 본데.

푸르매ㅡ!

…이거…,
피…?

왜 그래,
푸르매ㅡ?!

푸르매ㅡ!

어떻게
된 거니?!

몰라,
옷이 피투성이야!

어떻게 해!
자꾸 피를 흘리는 것 같아,
언니야!

어떻게 해—,
어떻게 해—!

혁진아…,
빨리 택시 잡아 와,
병원으로 데려가야겠어.

알았어요!

여긴 내가 있을 테니 너도 가서 좀 쉬어.

나는 아무것도 할 수 없었어.

어린애가 이렇게 심각한 영양실조에 걸리다니…. 이래선 약기운도 이길 수가 없지요.

어서! 네 상처도 가벼운 게 아냐, 푸르매.

죽어가는 엄마를 바라보면서 어떻게도 할 수 없었던 그날처럼….

단순한 감기인데도 이 아이에겐 무리인 겁니다. 당분간 충분한 섭식과 요양이 필요합니다.

그날의 당신처럼…!

수술받기를
원한다면
빨리 수속을
밟아야지.

왜…
엄마를
치료하지
않는 거지요?
어째서….

네 아버지
아직 오지
않았니?

의사는, 병원은
언제나 아픈 사람을
치료해야 하지 않아?

왜 수속이 먼저지?
그런 거 나중에 해도 되잖아.
내가 알고 있는 의사는…,
병원은….

푸르매….

어, 엄마.

아가는?

으응…,
데리고
올게요.

푸르매…,
착한 푸르매…,
아기를
아직 어린
네게 맡기고…

엄마는 어떻게
눈을 감을 수
있을지….

건드리지 마!

···당신들
때문이야.

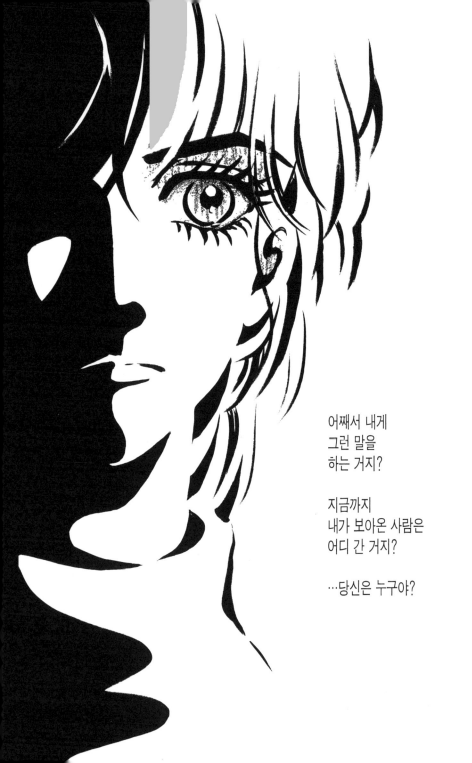

어째서 내게
그런 말을
하는 거지?

지금까지
내가 보아온 사람은
어디 간 거지?

…당신은 누구야?

네 아비는
그런 인간이야!

부도덕하고
파렴치한 자!

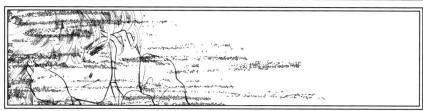

유괴범의
자식.

그렇게
보이지
않는데.

피는
속일 수
없어.

저 애랑은
놀지마.

도대체 왜 내가
저 애들까지
떠맡아야 해?
내 자식 키우고
살기도 급급해!

당신 오빠가
해준 게 뭐 있다고
우리가 책임져?

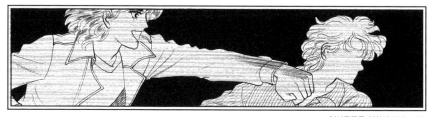

그래도⋯ 어머니⋯,

전 지수가 있어서
지금까지
이를 악물고⋯.

그러니⋯

그러니….

그러나 지난 밤 나는
내 그림자 속에서 어느 슬픈 얼굴을
보았지.

스스로를
원망하고 원망하며,
자식들 앞에
차마 나타날 수 없어
돌아섰을 서러운
우리들의 아버지….

미움이란 얼마나
부질 없었나….
자신도 타인도
망가뜨리는 독소!

이제 잊을 건 잊고
용서할 건 용서하고
그렇게 사는 거야.

아버지를
찾기 전엔
안 돼.

장미야.

슬비는?

그게… 이상해.
집에서는 등교한 걸로
알고 있더라고…

오는 길에
무슨 사고라도…

그렇진
않을 거야.

불안하다.
불안하다….
이럴 때 슬비마저
웬일일까?

슬비야…,
혹시 서지원 때문이니…?

백장미,
학생과 선생님
호출이야.

그 얘기를 듣고
지원이 놀라서
뛰어간 것밖에…

그리고는
못 만났어요.

선생님,
지원이가 저지른 것이
아닐 거예요.

아시다시피
지원이는 여지껏 그런
무모한 일을 한 적은
없었잖아요?

알았어,
그만 나가봐.

…예.

그렇다면 서지원을
최후로 본 사람이…

1학년의 이슬비란
여학생입니다.

그 학생 말에 따르면 토요일 밤 찾아와서 동생을 맡기고 일요일날 사라졌다는….

내가 병원으로 가기 직전까지 있었던 것 같더군요.

학교가 온통 그 얘기 일색이군.

그럼… …퇴학?!

아마도!

분위기가… 이번은 그냥 넘어갈 것 같지 않아.

바보 같은 녀석…, 기어이….

혁진….

그나저나 서지원이 그 푸르매였다니…. 인연이란 게 참 복잡해.

형도 충격이 큰가 봐.

그 후 한 마디도 안 하고 있어.

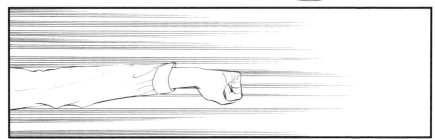

파앙

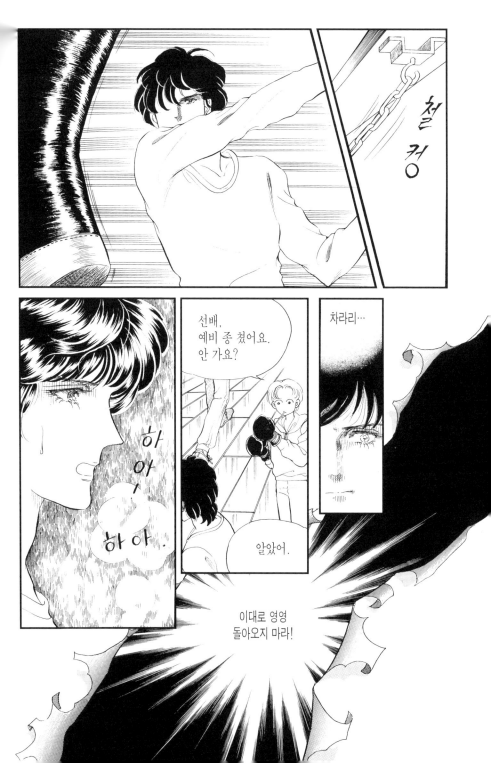

마냥 헤매고 다닌다고
쉽게 만나지는 건
아닐 테지만….

오늘 하루 내가 느낀 건
너에 대해서 너무도
모르고 있다는 거.

푸르매,
넌 어디에 있니?
왜 도망쳐버렸어?

상처가 깊은데…
치료는
하고 다니는
거야?

응?

안녕, 지수야.

슬비.

슬비 누나!

기분 어때?

좋아요.

이젠 하나도 안 아파요.

간호사 아줌마가 이제 집에 가도 된대요.

정말 다행이다.

정말…
아무 곳도
알지 못해서….

푸르매가 잘 가는 장소…,
갈 만한 곳….

어느 한 곳도
내가 아는 곳이
없다니….

푸르매에게 도움이
필요할지도 모르는데
내가 할 수 있는 게
아무것도 없다니….

아무것도 없긴.
내일 지수 퇴원하면
챙겨줘야지.

누나 집에요?

그래.

퇴원?
설마 그 빈 집에
보내는 거
아니지?

당분간은
우리 집에
데리고 가서
돌봐야겠지.

형이 그렇게 약속했으니까, 난 기다려야 해요. 형도 약속한 건 꼭 지키거든요.

…그래, 그런 거였어! 지수를 내버려둘 리가 없잖아….

형에게 내가 말해주면 되지. 네가 우리 집에 있다면 우리 집으로 올 거야.

정말요?

정말 형도 누나 집으로 찾아올까요?

그럼, 누나 집이 어딘지도 아는걸.

그렇게 지수가 온 후…

우리 집엔 커다란 변화가 일어났다.

들어가자,
아줌마가 우유 줄게.
지수가 좋아하는
초코 우유란다.

하나 둘

하나 둘

?

너희들은
20번 다 채우고
들어오도록!

여보, 나 커피.

하
아

지수 우유부터
챙기고 드릴게요.
기다리세요.

?

당신, 육류는 가급적
줄이도록 하세요.
이제 성인병 관리도
해야 할 나이죠.

지수야, 이거 먹어라.
넌 그저 뭐든
많이 먹어야 한단다.

네~.

너희들도 미용 생각해서
다이어트 시작해.

에에~,
이 짓도 더러워서
못 해 먹겠군.

오늘도
시말서 행?

조그만 녀석들이
저지른 철없는 짓을
나더러 어쩌라고?

내가 문제 일으키라고
한 것도 아닌데 상부에선
단속 못했다고 난리고,
피의자 부모는 부모대로
난리라니까.

자기 자식들이야
누구보다
선량하다고 믿는 게
부모 마음 아닌가?

요샌 애새끼들이
더 무섭다니까.
도무지 겁이 없어.

아직
안 잡힌 애도
있어?

웬만하면 그 녀석들
앞날을 생각해서
훈방 정도로 끝내고
싶었는데 흉기까지
소지한 탓에…,

몇 명은
다칠 것 같아.

불개미단
리더란 놈이
문제야.

휴~.
도망친 녀석을 잡아야
수사를 끝낼 텐데….

그 녀석 대단한
구석이 있더라고.
이구동성으로 녀석을
변호하더군.

제법 신망을
얻은 것 같아.

카리스마적인
존재라는 게
옳겠군.

혐의 사실도
애매하니까…
아마도….

뭐 하고 있어?

응, 마무리를
아직 못했어.

상록제가
며칠 안 남았는데
빨리 완성시켜야지.

지수랑 지원이랑
셋이 놀러갔던 때를
그리고 있어.

야,
만화가집 딸은
다르네.
정말 멋있다.

그래?

헤헤~. 사실 이거 그린다고 그동안 습작 많이 했어.

우리들로선 첫 발표회고 일반인들에게 만화를 선보이는 것과 같으니까 정말 신경이 쓰여.

이런 기회에 보다 좋은 인식이 되어주면 얼마나 좋아.

실력도 없으면서 출품하는 게 싫어서 망설였지만 한번 해보고도 싶었거든.

이 사진을 참고로 그리는 거구나?

으응…. 만화체로 이미지를 맞추려니 힘들어.

벌써 왔니?

장미야—!

탁

왓—!

왜 그래,
뭐야?

탁
탁

…장미….

그 사진에
대해서라면….

난 널
알 수가 없어!

하루하루를
지원이 걱정하는
것만으로도 힘든데
왜 너마저 나를
괴롭게 하는 거야?!

나의…
푸르매란
말이야.

괴로워…,
나도….

―푸르매이기도
한걸!

그 이후 장미와는
서로 한 마디도
하지 않고…
그렇게 며칠이
또 흘렀다.

때로 생각한다.
여자들 사이의
우정이란
이렇게나 덧없는
것이었나… 하고.

…다행이야.
목소리라도
들으니 정말…

지수
보고 싶어.
…너도….

…내일 수업 마치고
지수랑 시장으로
나올래?

토요일이니까
3시쯤이면
되지 않을까 싶은데.

그래,
그때는 괜찮아.

나갈게.

으응…
그 앞. 그래,
건널목 지나서…

응….

이 정도
상처 따위에…

어머니…,
회색 도시에
비가 내립니다.

어머니의
눈물 같은 비가….

인어
공주를
위하여

이만큼이면 제니들 오래오래 먹겠다. 그쵸?

그래.

난 정말 걱정했거든요. 그런데 아저씨가 제니들의 집도 만들어주셔서 기뻤어요.

누나네 식구들은 전부 다 좋아요.

고맙구나.

누나, 안 가요?
많이 무거워요?

아…, 아냐.
그냥 여기서 좀 쉬다
가고 싶어서 그래.

저기 가서
뭐 좀 사 먹자.
배고프다.

핫도그

와아~.

지금 어디선가
보고 있는 건 아닐까?

제23장
갈 수 없는 나라

한 사람이
이승을 떠난다는 것은
얼마나 간단한 일인가.

한 줄기의 연기….

흩어지는
하얀 흔적….

떠나는 이는
차라리 행복하다.

그러나 남은 이는
그 기억을…
아픔을…
어떻게 삭이며
살아야 하는가.

어머니,
어디 계세요?

어머니.

지수가…

좋아하던
여러 가지 장난감들…
뭐 그런 것들….

여기 와서
가지고 놀았던 건
모두 보내주려고.
연기가 되어
그 애 곁으로 가겠지.

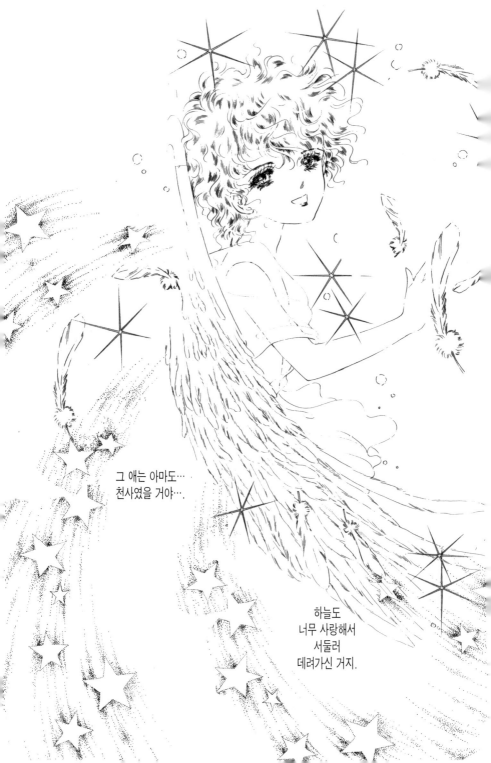

그 애는 아마도…
천사였을 거야….

하늘도
너무 사랑해서
서둘러
데려가신 거지.

일부러
네 수업 끝나길
기다렸어.

병원에
같이 안 갈래?

그래,
같이 가자.

…저 만화 전시회
문제 때문에
모임이 있거든요.

액자 맡긴 것도
찾으러 가야 하고요.

…그래서….

그럼
할 수 없지, 뭐.

먼저 갈게.

난 말이지,
여자애들의 마음을
정말 모르겠다.

슬비 보기보다
냉정한 데가 있나 봐.

정말…
안 가봐도 돼?

한 번도 병원에
안 갔다는 게 말이 돼?
예사 사이도
아니라면서….

장미는
하루도 안 빠지고
병원에 다니는 것
같던데….

사정이 있겠지.

그동안 못 잤던 잠
다 몰아서 자려나 봐.
계속 잠만 자네.

…그래서 오늘도
면회는 안 된대.

웅성_
웅성_

집어치워!
조카 하나는
반병신 만들고
하나는 죽었는데—!

내 요구가
부당한 거야, 응?

말도 안 돼!
도대체 무슨
그런….

……

…사고…
부주의….

무식하다고
얕보지 마!
두고 봐!
두고 보라고!

…나 원,
기가 막혀서….

사고난 걸로
한밑천 잡겠다는
거야, 뭐야.

그만 가자.
있어봤자
면회도 못하고
추한 꼴만
더 볼 것 같다.

그런 거니?

네가 깨어나고 싶지 않은 것이
이런 이유 때문…?

하지만 이대로 잠들면 안 돼!
아무리 두려운 현실이 기다린다 해도
넌 맞서야 해.

면회사

그리고…,

그리고…,

나에게…
해명해주어야
할 것도 있잖니?

넌….

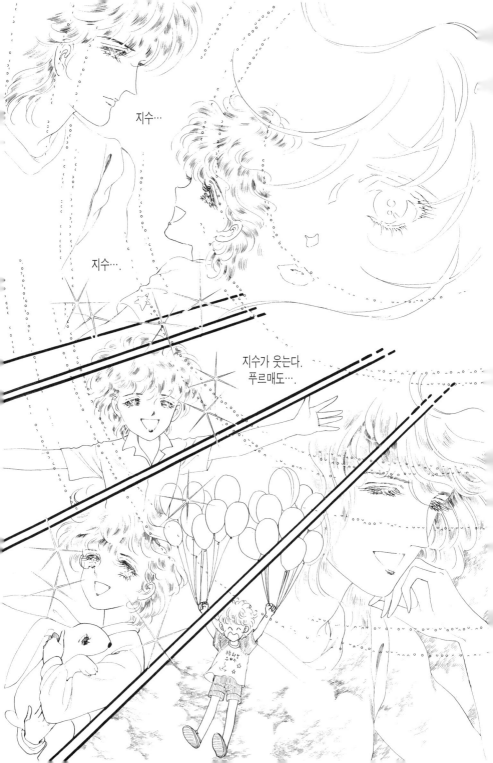

육체적으로는
아무런 문제가
없습니다.

우리들로서도
가장 난처할
때가….

이런 환자의
경우입니다.

슬비….

징계 문제는
당분간
보류….

불개미단 모두
무기 정학이던데
당연히….

그러니까… 형은….

이 그림을 그릴 때
정말이지
이런 날이 오리라곤
생각지 못했어.

뚝

뚝

…지수야,
누나가
잘못했어.
이렇게 빌게.

인어
공주를
위하여

푸른고교의 예술제는
2년에 한 번씩
열린다.
(그놈의 입시가
뭔지…)

월요일부터
토요일까지는
각 부서의 전시회가
강당에서 이어지고…

그 중간에
체육대회,
합창 경연대회,
민속 무용제 등이
열린다.

9시에 개장 테이프
끊거든요.
사인회는 2시에서
3시까지니까
그때 오시면 돼요.

사인회·
꼭 해야 하니

만화 동호회는
다른 준비가
전혀 없거든요.
그래서 아버지께서
도와주셔야 해요.

쑥스러워서
어떻게 하지?

영차

영차

많이
꿈꾸었어.

내가 출품한 작품이
입상하고
네가 축하의 꽃
한 송이 달아주면
얼마나 좋을까 하고….

그러나 넌 지금도
잠들어 있겠지.
눈 꼭 감고 다시는
세상 안 볼 사람처럼….

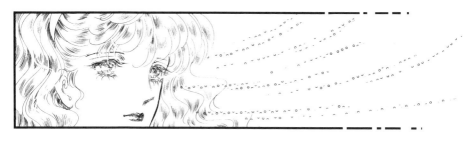

떠들썩하구나.

전시회에서
네 그림 보고…

정말 따뜻하고
부드러운…
봄 같은 그림이더라.

나, 많은 생각 했어.

지원의
웃는 얼굴…,

그렇게
맑게 웃는 모습…
무척 놀라웠어.

그래서 서운했나 봐.

내겐 그렇게
웃어주지 않았으니까.

밤마다 꿈을 꿔.

그때엔
늘 지수가 살아 돌아오고
푸르매가 웃고 있어.

아니, 다시 생각해보면
그것도 아니야.

—이거
악몽이거든.

지금의
내가…

지금의 내가
꿈속을 헤매는 거야!

그러니까
누워 있는 푸르매를
봐서는 안 돼.

꿈이
엇갈려져.

나는 악몽 속으로
그대로 빠져버리게
되니까—!!!

ㅇ....

그런… 일…

그럴 리가 없어!
지원ー!

지원아ー!

11월이 지나고 12월이 와도
지원의 상태는 호전되지 않았고,
지원 아버지의 소식 역시 없었다.

아니, 내 이름이 없잖아.

모의고사 순위

인 문 계	자 연 계
1 황택규	조 휘 인
종 욱	
5	
6	

여전히 조휘인이 1위야.

야~, 내가 인문계열 3위다.

서지원은 늘 이름이 있었는데…

지금 완전히 백치처럼 되었대. 나쁜 짓은 했지만….

잘된 거지 뭘 그래. 촐랑대며 놀더니 천벌을 받은 거야.

뭐야, 왜 그런 눈으로 봐?! 난 가식적이지 않아서 너희들 마음속의 말을 대신 해준 것뿐이라고!

세상은 냉정한 거야! 서지원이 없어져 너희들은 경쟁자가 하나 준 셈이고 그만큼 대학문이 넓어졌잖아! 틀렸어?!

위선적인 녀석들!

형, 여기서 뭐 해?

으응, 저….

…슬비 기다리는 거라면…

병원으로 가보는 게 좋을 거야.

뭐?

무엇 때문이라고 생각해?

슬비는 요새 보충 수업도 빠지고 그곳에 다니고 있어.

왜…? 무엇 때문에?!

하지만 그 녀석은
정상이 아니야.
그런 녀석 따위에게
슬비를 보낼 수 없어.

정말
좋아한다면…

무엇이 그 사람을
가장 행복하게 하는지부터
생각해야 하지 않을까?

그리고 슬비는…
이미 선택을 했어.

에이~,
또 불개미단
녀석들이다.

정학이
풀렸나 보지?

저벅   저벅

왜 시원스럽게
퇴학시켜버리지 않고
저렇게 내버려두는
거야?

저들이 지나갈 땐
언제나 호두알 소리와
휘파람 소리가
들려오곤 했는데….
왠지 무언가 빠진 듯해.

정말…

어제 병원으로
면회 갔다.
그는 우리들을
알아보지 못했어.
슬픈 일이지만…

아뇨, 외삼촌.

그대로래요,
예.

지원 아버지 소식은
아직 없어요?

예…, 예,
알고 있어요.
어머니는 만나봤지만….
예….

빛나던
우리들의 캡틴은
사라졌다!

외삼촌이
지원 아버지의
친구셨다니….
생각해보니,
그럴 수밖에
없는 건데….

환자 자신이
마음의 문을 닫고
몸을 유폐시킨 거라고나
할까요?

현실을 부정,
어린 시절로
돌아가려고 합니다.

사람들에겐 누구나
조금씩 그런 경향이 있는데
피터팬 신드롬이라고도 하죠.

이 환자는 그런 맥락으로
설명할 수 있을 겁니다.
다만 하반신이
움직이지 않는 것에
대해서는….

그래…

물리치료실로 가야 하니까 좀 비켜주겠니?

그런 모습이 된 건 내 이기심을 벌하기 위한 것인지도 모르겠다.

나는… 그저 네가 좋아서…, 너무 좋아서….

눈을 떠줘, 지원. 휘파람을 불어줘, 솔베이지의 노래를….

나를 위한 것이
아니라 해도 좋으니…,
더 이상 욕심내지
않을 테니….

네가 원하는
일이라면
무엇이든
할 테니까….

설령 두 번 다시
네 앞에 나타나지
않아야 한다 해도
그대로 따를 테니….

그러니
제발…

제발….

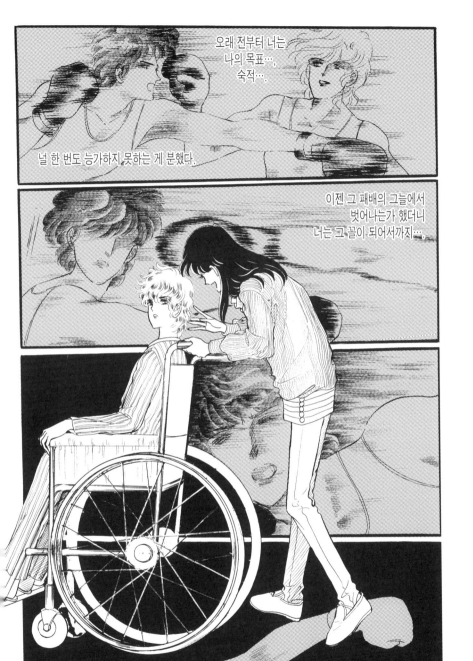

지수와 관계있는 물건들이나 그 집에 있는 것들.

그런 것으로 기억을 일깨울 수도 있지 않겠어?

의사 선생님도 하나의 계기가 중요하다고 하셨잖아.

그렇지만 지금까지도 여러 차례 시도 했었잖아.

그래, 그러니까 좀 더 강한 이미지를 줄 게 필요해.

제니들보다 더 지수와 가까운….

그래, 지수의 그림 일기라면…!

벌써 두 달 가까이 계속해온 일이야.

몇 시간 늦어진다고 달라지는 건 없지 않아?

네가 이러는 거… 지원도 싫어할 거야.

어딜 가는 거야, 슬비.

아직 수업 안 끝났어.

어이ㅡ, 서 씨.

거기 서 씨 아니오?

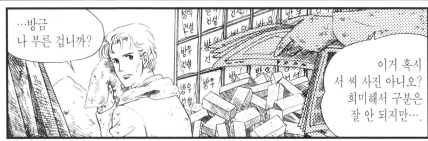

...방금
나 부른 겁니까?

이거 혹시
서 씨 사진 아니오?
희미해서 구분은
잘 안 되지만….

이 사람,
훈섭이ㅡ!

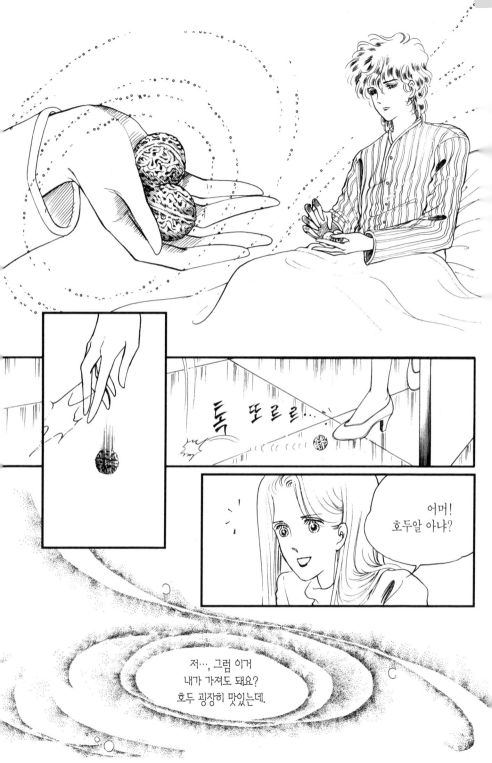

모두 지수 거야,
기억나니?

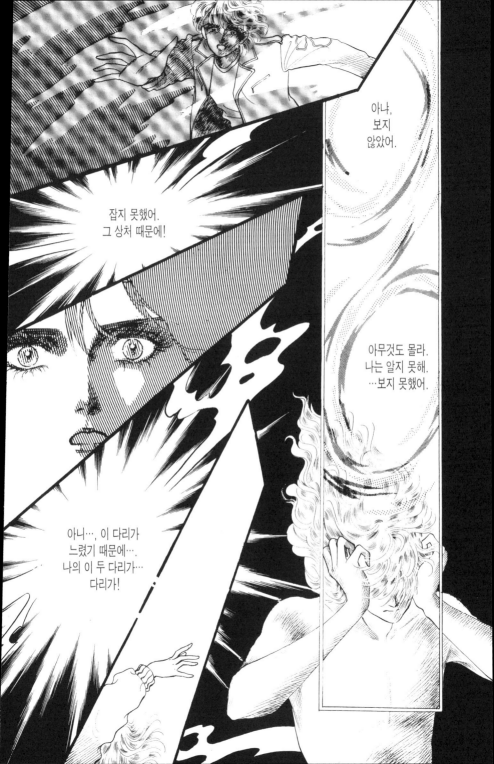

인어
공주를
위하여

아마 이 근처
어디일 거야.

그래….
저기에서 뿌렸어요.

굽이 굽이 흘러
큰 강물을 만나
함께 흐르다 지금은
바다로 갔으려나…

그리 믿어요.

죄송해요.

우리 오빠
불쌍해서 어쩌나….

정말로 죄송해요.

보살펴주지
못하고….

처 앞세우더니…
이제 자식 앞세우고.

무슨 팔자가 저리도 야박할까….

아름다운
얘기구나.

하지만 이제는…

강물도 오염됐고
갈대들은 더 이상
노래하지 않죠.

세월이 흘러
우리 아이들이
자랐을 무렵에는…

이 강이
다시 맑아져서…

가야금 소리를
들을 수 있다면
얼마나 좋을까?

아이들?

예, 아이들….

난 대가족이
좋아요.

대가족…
씨이나~.
대체 몇 명이나
낳으려고?

글쎄….
야구단 만들 정도는
되어야 하지 않을까요?

아니면
합창단을 만들까?

그건…
당신이 틀린 거야.

갈대들의 반주에 맞춰
노래를 부르는 것도
멋있을 것 같아.

이 사람…,
너무 마시는 것
아닌가?

가야금 소리도
들려오지 않고…
당신도…
노래할 아이들도
없잖아.

이제 그만 일어나세.
면회 시간 넘기겠네.

그래요, 오빠.

지원이에게도
가봐야죠.

그만 마셔.

괜찮아.

취할 정도로
마시진 않아.

날씨도 찬데…
자네도
한잔 할 텐가?

됐네,
좀 있다가
운전해야지.

아…, 그래…

참 그렇지.

자네가 이러면 안 돼.

지원이에게 안 가볼 거야?

죽은 애는 죽은 애고, 한 아이라도 살려야지.

이 사람이… 그만하라니까.

벌컥 벌컥

오빠….

……

나도 자식 둔 아비…
괴로운 자네 마음
모르는 바 아니네만…

…안다고…?

누가?

…자네가 말인가?

어떻게…,

무얼…
안다는 거지?

자식 잃어서
내가 괴로워
이런다고 생각하나?!

그래서
자식 둔 아비로서
그 맘 안다고?!

오빠,
왜 이래요.
취했어요.

그렇게 갈 바에야
태어나지나 말지.

뭣 때문에
생겨서….

제 엄마 살을 파먹고
기어코는
죽게 만들더니—.

오빠는 어쩜 그런….

그렇게 모질게
생겨났으면 오래는
살아야 되는 거
아냐?

제 엄마 몫까지
보란 듯이 살든가…
아예 생기지를 말든가….

지금은 더럽혀져 얼어붙지도 못하는
이 강을 따라 흘러흘러 갔다 하는데…

가야금 소리도 들리지 않는 길…
고적해서 어찌 갔을까?

아이야,
이 아비는 눈물 한 방울
보태지 못하는구나.

가뜩이나 혼탁해진 이 물…,
더 더러워질까 두려워서….

안 들어가려는 게
아니야.
그냥…
조금만 더 있다가…
가세….

제 자식 만나는 게
그리 두렵나?
…그래서
숨었던 건가?

…그 애들의 눈을
마주할 자신이 없었네.
못난 아비지….

거…,
술 좀 그만 마셔.
아까 그만큼 마시고
또 들어갈 데가
어디 있다고….

…어쩌다 일이
이 지경이 된 건지….

휴우~.

……

매제가
어처구니없는
질투 때문에
자네를….

그런 식으로
괴롭히는 줄은
몰랐어.

알고 있어.
은행에 넘어갔을 집도
자네가 구했고,

지원이 학교 문제도
번번이 자네가
애썼지 않아?

내가 진상을
알았을 땐
너무 늦었지.

그래서
속죄하는 마음으로
아이들을 돌보고
있었는데….

아비인 나보다도
더 고맙게 잘해주었어.

돈 몇 푼에 전부라…
자네, 이제 보니
참 시시한 남자군

그 또한 경리부에서
담당하는 일,
회사 자금 사정이 안 좋아
순차적으로 지불되고
있는 모양이니
좀 더 기다리게.

부탁드립니다.
사장님껜
사소한 일이겠지만
제겐 전부가 걸린
일입니다.

같은 입장이 되면
그 누구도….

같은 소리를 할 것이다?
…틀렸어!
나는 자네처럼 무능하고
비굴하지 않다네.

아내가 아프다고
했던가?

이야홍

바보야—!
아버지란 말이야!
너희 아버지야!

아버지도
몰라볼 거야?!

아버…지.

그래, 지원아.
아버지다….
내가… 왔어.

…지수가…

죽었어요,
아버지.

사랑 없는 마음에
사랑을 주러 왔던 너.
너의 작은 가슴
그러나 큰 마음.

정이 없는 마음에
몸바쳐 쓰러진 너.
너의 작은 손
그러나 큰 슬픔.

내가 헤매어 찾던 나라.
밝은 햇빛과
나무와 물과
꽃들이 있는 나라·
그리고···
사랑과 평화가 있는 나라.

···그러나 그곳은
갈 수 없는 낙원.

네가
가고 없는
갈 수 없는
나라.

song by 해바라기
「갈 수 없는 나라」

전학?

왜 어째서
갑자기 그런…?

갑작스러운
얘기가 아냐.

지원이 낫는 것만 보면
서울로 간다고…

어머니랑
약속했거든.

그리고
지원에게도….

…두근대던
그 봄날의 만남….

소나기처럼 아팠던
그 해 여름….

아마, 이것이
너와의 마지막
만남이 될 것 같아.

…왜….

마지막이라니.

애…,
서울이 그리
먼 것도 아닌데
다신 못 볼 것처럼
그러지 마.

아니…,
마지막이야.
대구와…
대구에 관계되는
모든 걸
잊을 거니까.

잠시
행복한 꿈을 꾼
가을날….

글쎄…,
황량하니 춥기만 하고
눈은 인색하게 뿌리는
이 도시의 겨울이
싫어서라고 하면
답이 될까.

눈이 잘 내리지 않으니,
왠지 더 추워져서….

슬비에겐
나중에 편지로
작별할 거야.
그러니 성빈아….

나에게…?

마음에 들지
않을지 몰라도
너를 생각하면서
그렸어, 받아줘.

…어째서 나를
원망하지 않니?

그렇게 못되게
대했는데…,
나 때문에 그만큼
상처 받았으면서…

어떻게 내가
너를 미워하니?

슬픔도 아픔도
너에게서 온 거니까…
그것으로 좋았어.

…미안하다.
내가 한
모든 행동들,

…용서해달라는 말은
할 수 없어.

…너 없이 내가
행복할 수 있을까?

네 맘에
답해주지
못하는 것도….

그저…
어디서든
행복하게
지내기를….

…긴긴 세월
너의 빛이 되길
기원했었지.

그러나 언제나
그림자였을 뿐.

무엇이든
너에게
주고 싶어 하는
내게…

너는 다만
비켜주기만 바랐지.

진창에서 허우적거리는
그 손을 이끌어내는 것은
내 몫인 줄 알았는데…

기도하듯
기다렸는데…,

이미 그 자리엔
딴 사람의 미소가
깔려 있었지.

…그러나
후회는 없다.

1990년 1월

그 손을
잡아준 것이
슬비
너의 사랑이라면
놓아 보내는 것은
나의 사랑….

칫! 대학이 뭐
인생의 전부인가.
난 최선을
다했는데….

내가 떨어진 걸 알면….

뭐, 떨어졌다고?

와~ 역시 I.Q 한 자리답다.
그럴 줄 알았어.

여자가 왜 그리 머리가 나빠?
공부는 안 하고
매일 무식하게 주먹이나 휘두르고….

다음부턴 나 아는 척도 하지 마.
창피하니까…!

창피

I.Q 한자리

창피

무식

머리가 나빠

빨리—.

빨리—.

5시 전에 끝내야
속달로 부친다.

먹칠 멀었니,
미라?

다해가니까
너무 재촉하지 마세요.

원고 도우러 왔어요.
먹칠할 거나
지우개질 주세요.

오—,
혁진이 왔구나.

뭐,
혁진이
라고…?

축하한다, 혁진아.
합격했다면서?

예…,
아슬아슬하게
다른 사람 바짓가랑이 잡고
겨우 들어갔어요.

미라는요?

정말 아깝게 됐어.
2차에 꼭 붙기 바라.

…언젠가…
나도 만화가가
될 수 있을지 모른다.

그런 날이 올 수 있다면
장미 너와 나…
우리의 길고도 짧았던 인연을
그려내고 싶다.

그리고 그 책 첫머리에
이렇게 적겠지.

―인어공주를 위하여!

에필로그

3월이 올 무렵
지원네가 근처로
이사왔다.

호두나무가 있는
그 집을 팔고,
전세를 얻어온 것이다.

지원 아버지는
남은 돈으로 조그마한 가게를
열 것이라고 한다.

그리고 지원은 재수 준비로 들어간다.

악

악

운동 갔다 오세요?

그래, 그동안 많이 쉬었더니 몸이 둔해졌어. 어디 가니?

그래….

푸르…, 지원이 집에요. 오늘 남은 이삿짐 마저 옮긴대요.

이 자식…, 사람을 이렇게 기다리게 하다니….

손님 대접이 영 형편 없잖아.

응?

탁

☆

이… 이게 뭐야.

옆집 소녀가 어쨌다고?

처음 봤을 때부터 왠지 잊혀지지 않는 눈동자를 가진 그 애…,

이름은 이슬비.

와앗!

…뭐 하는 거야, 너—!

정말이야? 내가 잘못 본 거 아냐? 어디 다시 보자.

이리 내놓지 못해?!

빅뉴스

와/뉴/스

빅뉴스

불쌍하다,
불쌍해.

형제가
어쩌다 쌍으로
한 여자애한테
실연 당하냐.

나아쁜 자식.

아직 실망할 때가
아닌 것 같아.

너 정도라면
승산이 있지
않을까?

시… 시끄럿!

왜 이리 소란스러워?

아… 아냐,
아무것도.

쌍둥이라서
그런가?
그런 것까지
취향이
같을 수가.

나로선 도저히
납득이 안 되는
대상이란
말씀이야.

아, 알았어.
그만둘게.
그만두면 되잖아~.

옆집 소녀
이슬비….

처음부터
좋았던 소녀.

이제 남은 것 없이
다 옮겨온 거니?

에.

미래의 며느리도
함께 왔습니다.
헤헤~.

오냐,
도우러 왔구나.

여기는 내가
정리할 테니
슬비는 지원이 방
정리 도우렴.

네~

건너갈게요.

책들은 여기 꽂으면 되지?

그래, 나머지는 내가 할 테니 그냥 둬.

나, 완전 청소 도사라고.

아버지 시장하실 것 같아. 식사 준비 좀 부탁할게.

맡겨둬. 최고의 요리 박사가 여기 있으니까!

와앗ー, 뭐야?!

기적처럼
너를 만난 후
괴로웠어.

너는 깊숙한 곳에 숨겨두고
한 번씩 꺼내 보는
보석 같은 추억일 뿐
내 현실은 장미였을 텐데…

그토록 착하고 예쁜 애가
그토록 저돌적으로
다가오는데도
왜 내 눈은 자꾸만
너를 향하는 건지….

어린 날의
그 약속이
있어서만은
아니야.

너도
푸르매 아닌
지금의 나를
보는 거라면…

손을….

지금의 너와
만났다 해도
내 마음은 네게
향했을 거야….

그래, 널 보고 있어.
어린 날의 푸르매가 아닌 지원 너를….

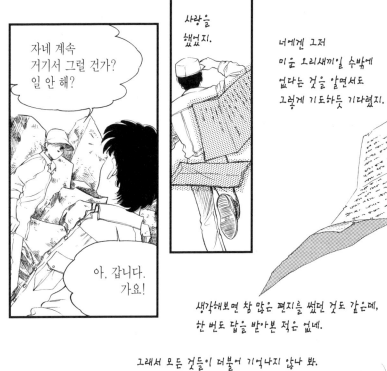

자네 계속
거기서 그럴 건가?
일 안 해?

아, 갑니다.
가요!

사랑을
했었지.

너에겐 그저
미운 오리새끼일 수밖에
없다는 것을 알면서도
그렇게 기도하듯 기다렸지.

생각해보면 참 많은 편지를 썼던 것도 같은데,
한 번도 답을 받아본 적은 없네.

그래서 모든 것들이 더불어 기억나지 않나 봐.

아주 간절한 마음으로 불렀던 것 같은데…
아무런 대답도 없어서…
이제 내가 불렀던 일조차 기억나지 않고…

어디선가 부침 되어 갈
내 이야기의 편린조차 떠오르지 않아.

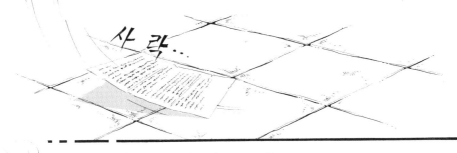

사 락...

하고픈 얘기가 많기도 했지만 왠지 한 마디 만이 남았어….
날 용서하렴.
너는 용서하란 말을 않겠다고 했지만 나는…
그래, 나는 해야 하는 거야.

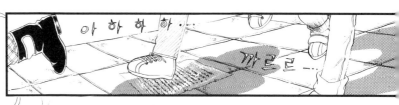

아 하 하 하...

까르르...

그동안 많이도 괴로웠지?
너를 너무 좋아했기 때문이었거니 하고 다만 용서해줘.

내 아버지의 몫, 어머니의 몫도 모두 다.

사람들 얘기론 봄이라는데
창 아래 내려다 보이는 서울의 야경은
왜 이리도 추운 건지….

SIDE STORY
―또 하나의 인어공주

어린 날의
내 기억 속에서
부모님은
언제나 바쁘셨다.

하루 종일
혼자이기 일쑤였던 나는
글을 모르던 시절부터
책을 가까이했고…

그 중에서도
가장 좋아했던 것이
안데르센의
인어공주였다.

육지에서 멀리 떨어진
넓은 바다 가운데로
나가면
물은 수레국화처럼
짙푸르고
유리처럼 맑아요.

그 바다 깊은 곳,
가장 깊은 곳에
아름다운 인어의
궁전이
솟아 있지요.

그곳에는
인어의 왕과
왕의 어머니,
왕의 6명의 딸들이
살고 있었습니다.

공주들은 모두
아름다웠지만
특히 막내 공주는
그 누구보다
아름답고
그 누구보다
사랑스러웠지요.

인어공주가
바다 위로 막 머리를
내밀었을 때는
아름다운 황혼이었는데
저편에 훌륭한 한 척의
배가 보였어요.

아···,
아름다워라.
저게 뭘까?

궁금한 마음에
배 가까이 헤엄쳐 간
공주의 눈에
화려하게 차려 입은
많은 사람들이
보였습니다.

그런 그들 사이에서
유난히 눈에 띄게
아름다운 사람은
커다란 검은 눈을 가진
왕자였습니다.
그날은 왕자의
생일이었던 거지요.

밤이
으슥해지고 난 후,
갑작스러운 폭풍이
일어나고
바다는 들끓기
시작했습니다.

위태로이 흔들리던
왕자님의 배도
부서져 가라앉고
말았지요.

인어공주는
다급히
왕자를 구해
안전한 곳으로
헤엄쳐 갔습니다.

이윽고 육지에
다다른 인어공주는
모래밭에
왕자를 뉘고
햇빛이
잘 비칠 수 있게
보살폈던 거지요.

이때 근처의 건물에서 아가씨들이 한 떼 걸어 나왔습니다.

아하하·

인어공주는 급히 바닷가 바위 뒤로 몸을 숨기고 한 아가씨가 왕자를 간호하는 모습을 지켜보았습니다.

이 애…

눈을 뜬 왕자님은
그의 곁에
앉아 있는
그 아가씨를 보고
미소지어
주었습니다.

그것을 보는
인어공주는
왠지
눈물이 났지요.

바다로 힘없이
돌아온 인어공주는
언니들의 물음에도
아무 대답도
하지 않고

늘 그 왕자님의
일을 잊지 못해
울적해하곤
했습니다.

애, 넌 무엇을
보았니?

…….

난 강으로
들어가서
마을 아이들을
보았는데….

머니, 인간들은 속에 빠지지만 않으면 제까지라도 수가 있나요?

그러나 우리에게는 없는 영혼이란 것이 있어서 죽게 되면 그 영혼이 우리들은 볼 수 없는 아름다운 세상으로 올라가게 된단다.

아…, 나의 생명이 줄어든다 해도 좋아.

인간들도 역시 죽지. 더구나 그 일생이 우리보단 훨씬 짧단다. 우리들은 300년이나 살잖니.

단 하루만이라도 영혼을 지닌 인간이 되어보고 싶어.

그럴 수만 있다면….

그런 소리 하면 못 써.

물론 인간이 되는 방법이 전혀 없는 건 아니야. 인간들 중에서 누군가가 너를 진심으로 사랑해준다면….

너도 인간이 되어 죽지 않는 영혼을 지닐 수 있어.

너를 진심으로 사랑해서 영원한 사랑의 맹세를 하게 될 때, 그 사람의 영혼을 얻게 되는 거야.

다시 말해서 그 인간은 영혼을 너에게 양보하면서도 그 자신도 그대로 갖고 있게 되는 셈이지.

그날 할머니는
막내 인어공주를
위로하기 위해
큰 잔치를 열었답니다.

막내 공주는
세상에서 가장
아름다운 목소리로
노래를 불렀지만
금세 우울해져서
그 자리를 살그머니
빠져 나오고 말았습니다.

하지만
그런 생각은
하지도 말아라.

인간이 너를 위해
사랑을 맹세할 리도 없거니와,
또 인간이 뭐가 좋으냐?
예쁜 꼬리 대신 그 보기 흉한
받침대를 2개나 가지고 다니며
거드름을 피우는 꼴이라니….

견딜 수 없이
왕자님이 그리워진
인어공주는 그만
무서운 마녀를
찾아갈 생각까지
하게 되었답니다.

마침
좋은 시간에
네가 온 거란다.

오늘만 지났더라면
앞으로 1년간은
그 기회가 오지
않았을 거야.

해변가에 도착한 공주는
두려움을 떨치고
마법의 약을 마셨습니다.
그리고 너무 큰 통증에
정신을 잃어버리고
말았지요.

아…, 당신은…, 당신은 누구입니까?

어디에서 왔지요?

대답을 할 수 없는 인어공주는 슬픈 눈빛으로 왕자를 바라보기만 했습니다.

왕자는 이 아름다운 소녀가 말을 할 줄 모르는 것에 안타까워 하면서 궁으로 데리고 갔습니다.

한 발 한 발 걸을 때마다 너무도 아팠지만 왕자와 함께라는 생각에 인어공주는 고통을 참을 수 있었습니다.

인간의 옷을 입은
인어공주는
그 누구보다도
아름다웠지만
말을 할 수가
없었습니다.

다른 여인들처럼
왕자를 위해
노래를 부를 수도
없었습니다.

그래서 인어공주는 춤을 추었습니다.

그것은 아직껏 그 누구도 본 적이 없는 멋진 춤이었고

인어공주의 슬프고도 맑은 눈동자는 다른 사람들의 노래보다 더 많은 말을 해주었습니다.

인어공주가
아주 좋아진 왕자는
언제나 인어공주와
함께 지냈습니다.

왕자는 마치 동생을
귀여워하듯이
그렇게 공주를
사랑했으나 아내로
삼을 생각은
없는 듯했습니다.

왕자의 신부가
되지 못하면
인어공주는
물거품이 되어
버릴 텐데요.

왕자님, 당신은 저를
좋아하지 않나요?
저는 당신과 함께 하려고
가족도… 목소리도…,
그 모든 것을 버리고 왔는데요….

얼마 뒤 왕자님이 결혼할 것이라는 소문이 떠돌았습니다

그리고 소문과 같이 왕자는 이웃 나라 공주를 만나러 길을 떠났습니다.

부모님의 말씀을 어길 수 없어 만나러 가야 해.

그러나 그 공주와 꼭 결혼하지 않아도 돼. 내 신부감은 전에 말한 그 아가씨를 빼면 너뿐이거든. 너와 결혼할 거야.

왕자의 그런 마음을 알게 된 인어공주는 행복했습니다. 영원히 잊을 수 없을 만치….

휘영청 달 밝은 밤,
언니들이 찾아와서
걱정스런 얼굴을
하였지만

공주는
행복한 웃음을
지어주었답니다.
행복했거든요.

이윽고
왕자 일행은
이웃 나라에
도착했습니다.

이웃 나라에선
왕자 일행을
환영하는 잔치가
며칠 동안
계속되었습니다.

그런데
웬일인지
이웃 나라의 공주는
보이지 않았습니다.

사람들의
얘기로는
먼 곳에서
수업 중이라고
했습니다.

그러던 중
공주가 돌아왔다는
소식이 오고,
모두의 앞에
공주가 모습을
드러냈습니다.

인어공주는
아직껏 한 번도
본 적 없는
그 미모에
깜짝 놀라고
말았습니다.

그리고
두 사람의 결혼식이
있었습니다.

차마
사랑하는 사람을
해칠 수 없던
인어공주는 스스로
바닷물에 뛰어드는
쪽을 택했습니다.

공주는 자신의
몸이 거품이
되어가는 것을
느꼈습니다.
그때 햇님이
떠올랐어요.

햇살이 싸늘한
죽음의 바다 위의
물거품을
따사롭게 비추고
있었습니다.

그런데 이상하죠.
인어공주는
조금도 자신이
죽은 것 같지
않았던 거예요.

하늘엔
수없이 많은
맑은 공기가
떠다니고
있었습니다.

우리들은 공기랍니다.
지금의
인어 아가씨처럼…

가엾은
인어 아가씨…

아가씨는
정성을 다했어요.

수없는 고통을
잘 참아서 이제
요정의 세계로
올라가는 거예요.

우리들도
좋은 일을
계속 해나가면
300년 후엔
죽지 않는 영혼을
얻게 된답니다.

공기가 된
인어공주는 자신의
두 눈에 고이는
눈물을 느끼면서
신이 계시는 곳을
향해 두 손을
높이 들었습니다.

그때 배 안이
소란스러워지며
왕자님과
아름다운 신부가
인어공주를
찾는 모습이
보였습니다.

그러나 끝내
인어공주는
그 모습을
보이지 않았고
두 사람은 물거품을
슬픈 듯이 내려다
보았습니다.

마치 공주가
파도 사이에
몸을 던진 것을
알기라도
하는 듯이….

이미 사람의 눈에
보이지 않게 된
인어공주는 두 사람의
이마에 입 맞추고
장밋빛 구름을 타고
하늘 높이
올라갔습니다.

마음속 깊이
두 사람의 행복을
기원하면서…!

이제 너를 위해 모든 걸
이야기해 줄 수 있어야 해
그럼 조금은 그해지리라
이 눈이 닫힐때까지.

이제 너를 위해 모든 걸
이야기해 줄 수 있어야 해
그럼 조금은 그해지리라

…인어공주였다.

<SIDE STORY-또 하나의 인어공주> 끝

◆몽룡이의 1분 교실◆

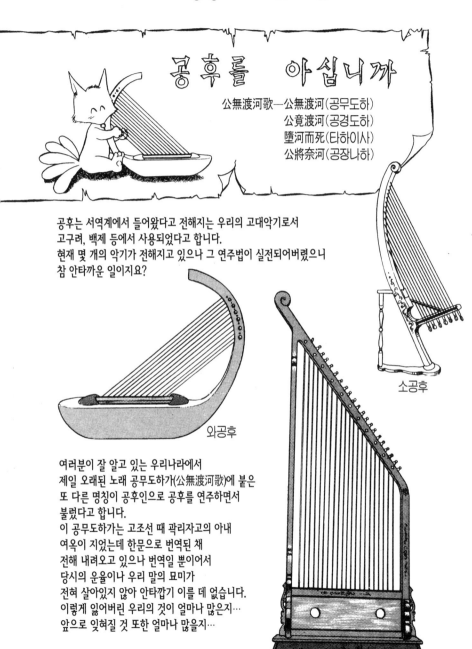

공후를 아십니까

公無渡河歌—公無渡河 (공무도하)
　　　　　公竟渡河 (공경도하)
　　　　　墮河而死 (타하이사)
　　　　　公將奈河 (공장나하)

공후는 서역계에서 들어왔다고 전해지는 우리의 고대악기로서
고구려, 백제 등에서 사용되었다고 합니다.
현재 몇 개의 악기가 전해지고 있으나 그 연주법이 실전되어버렸으니
참 안타까운 일이지요?

와공후

소공후

여러분이 잘 알고 있는 우리나라에서
제일 오래된 노래 공무도하가(公無渡河歌)에 붙은
또 다른 명칭이 공후인으로 공후를 연주하면서
불렀다고 합니다.
이 공무도하가는 고조선 때 곽리자고의 아내
여옥이 지었는데 한문으로 번역된 채
전해 내려오고 있으나 번역일 뿐이어서
당시의 운율이나 우리 말의 묘미가
전혀 살아있지 않아 안타깝기 이를 데 없습니다.
이렇게 잃어버린 우리의 것이 얼마나 많은지…
앞으로 잊혀질 것 또한 얼마나 많을지…

여러분!
우리, 보다 많은 것을 지켜나가도록 해요.

수공후

「인어공주를 위하여」완결

LEE MI RA SPECIAL EDITION

인어공주를 위하여 5

2023년 4월 25일 초판 1쇄 발행

저자 이미라

발행인 정동훈
편집인 여영아
편집책임 최유성
편집 양정희 김지용 김혜정
디자인 형태와내용사이

발행처 (주)학산문화사
등록 1995년 7월 1일
등록번호 제3-632호
주소 서울특별시 동작구 상도로 282 학산빌딩
편집부 02-828-8988, 8836
마케팅 02-828-8986

ISBN 979-11-411-0328-6 (07650)
ISBN 979-11-411-0323-1 (세트)

값 16,500원